Le fameux Tim Horton

Mike Leonetti

**Illustrations de
Greg Banning**

Texte français de
Marie-Carole Daigle

Éditions
SCHOLASTIC

Remerciements

L'auteur aimerait remercier les écrivains et producteurs des sources suivantes :

Livres : Ron Buist, Charles Coleman, Tim Griggs, Lori Horton, Douglas Hunter, Ron Joyce, Craig MacInnis (éditeur), Tom O'Driscoll (article), Andrew Podnieks, Don Weekes;

Sites Internet : Hockey Hall of Fame – the Legends, Wikipedia, *The Canadian Encyclopedia* (2007);

Télévision et vidéo : *CBC Life and Times*, le film au sujet de la Coupe Stanley de 1962, *Hockey Night in Canada* (les matchs 1, 4, 5 et 6 des séries éliminatoires de 1962);

Ouvrages de référence : *Maple Leafs media guide 1962*, *NHL Guide and Record Book*, *Total Hockey*, *Stanley Cup Playoffs Fact Guide*;

Magazines : *Toronto Life*, *Hockey Illustrated*, *Hockey Pictorial*, *Hockey News*, *Weekend Magazine (1973)*, *Maple Leafs game programs*;

Journaux : *Toronto Star*, *Globe and Mail*;

Disque vinyle longue durée : *Let's Talk Hockey* des Maple Leafs de Toronto.

Catalogage avant publication de Bibliothèque et Archives Canada

Leonetti, Mike, 1958-
[Mighty Tim Horton. Français]
Le fameux Tim Horton / Mike Leonetti ; illustrations de Greg Banning ; texte français de Marie-Carole Daigle.

Traduction de: The mighty Tim Horton.
ISBN 978-1-4431-0043-4

1. Horton, Tim, 1930-1974--Romans, nouvelles, etc. pour la jeunesse. 2. Hockey--Récits.
I. Banning, Greg II. Daigle, Marie-Carole III. Titre.

PS8573.E58734M4414 2010   jC813'.54   C2010-901706-4

Édition publiée par les Éditions Scholastic, 604, rue King Ouest, Toronto (Ontario) M5V 1E1 CANADA.

6 5 4 3 2 1   Imprimé à Singapour 46   10 11 12 13 14 15

À tous ceux qui aiment jouer à la défense, et aux filles de Tim Horton : Jeri-Lynn, Kim Kelly et Traci.

— M.L.

Pour Marie et les filles, Flo et Meg. Je vous remercie de votre amour et de votre soutien.

— G.B.

Le tableau de pointage affichait 2 à 2, et notre match tirait à sa fin. Comme défenseur, je savais que je devais à tout prix éloigner la rondelle hors de notre zone. Au lieu de m'en emparer pour la dégager, je me suis jeté sur le joueur des Panthères, le projetant violemment contre la bande. Le sifflet de l'arbitre a retenti...

— Numéro 7, deux minutes pour assaut!

Pendant que j'étais au banc des punitions, les Panthères ont marqué un but et ont gagné 3 à 2. En quittant le banc, j'avais la mine basse. Je savais que mon équipe avait perdu à cause de moi.

Notre entraîneur, Jean-Pierre, m'a pris à part après le match.

— Guillaume, tu aurais pu éviter cette pénalité. Ce n'est pas la première fois que ça arrive. Si tu continues, tu pourrais bien être expulsé de l'équipe, m'a-t-il dit en s'éloignant.

Pensif, je suis resté dans mon coin. Je savais que mon entraîneur avait raison. Plus costaud que la plupart des autres gars de la ligue, j'aimais bien me servir de ma force. Je détenais le record du plus grand nombre de minutes de pénalité de l'équipe! Une fois, Jean-Pierre m'avait d'ailleurs laissé au banc pendant toute la partie parce que je m'étais battu.

Je savais que je devais changer. J'adorais le hockey et je voulais vraiment continuer à jouer.

La saison était commencée depuis deux mois et je passais encore beaucoup trop de temps sur le banc.

J'ai alors pensé à mon joueur de hockey préféré, Tim Horton des Maple Leafs de Toronto. Comme moi, il était droitier et jouait à la défense. Nul n'avait jamais réussi à le déjouer par la bande. En plus, il avait un tir génial, de la pointe. Mon père disait que Tim Horton avait beau être le plus fort de tous les joueurs de la LNH, il n'avait aucune malice et n'essayait jamais de blesser ses adversaires. Au cours de toute sa carrière dans la LNH, il n'avait accumulé, en moyenne, qu'une petite minute de pénalité par partie.

— Tu devrais peut-être t'inspirer de son jeu, dit mon père pendant que nous prenions place dans la voiture.

Sur le chemin du retour, je suis resté le nez collé à la fenêtre. J'avais entendu dire que Tim Horton habitait dans notre coin. Je surveillais toujours les alentours, dans l'espoir de l'apercevoir. Je souhaitais vraiment le rencontrer pour lui demander conseil.

En décembre, nous avions organisé une collecte de fonds pour acheter des blousons d'équipe. Chaque joueur devait faire du porte-à-porte pour vendre cinq boîtes de cartes de Noël. Mon père m'a donné un coup de main en m'accompagnant en voiture. À la fin de la journée, il me restait encore une boîte.

— J'en ai assez, papa… me suis-je plaint.

— Allez, Guillaume, il ne te reste qu'une boîte… Fais une dernière rue, puis nous rentrerons manger à la maison, promis!

J'ai sonné en vain aux deux premières maisons. J'ai décidé de tenter ma chance à une dernière porte.

Lorsque la porte s'est ouverte, je n'en croyais pas mes yeux…

— Tim Horton! me suis-je exclamé.

 — Oui? a-t-il répondu en souriant.

J'ai nerveusement débité mon discours sur les cartes de Noël, et Tim Horton a accepté d'acheter ma dernière boîte de cartes. Pendant qu'il remplissait ma feuille, je lui ai expliqué que je jouais à la défense dans l'équipe de mon école. Il m'a raconté qu'il avait lui aussi commencé comme joueur de défense. Après lui avoir mentionné que je me retrouvais souvent au banc, je lui ai demandé s'il pouvait me donner quelques conseils.

— Comment t'appelles-tu?

— Guillaume, monsieur.

— Alors, écoute bien, Guillaume : je vais te donner quelques trucs. Si tu t'en sers, peut-être que tu seras plus souvent sur la glace. Tâche de les mettre en pratique chaque jour.

— Oui, monsieur!

— Et rappelle-toi qu'on a le droit de plaquer à condition que ce ne soit pas dans le but de blesser ou d'assommer l'adversaire. Moi, je me bats rarement. La bataille, ça n'aide pas vraiment ton équipe. C'est pour cela que ton entraîneur veut que tu apprennes à te retenir.

— Je pense que je comprends ce que vous voulez dire, monsieur, ai-je répondu. Merci beaucoup de m'avoir donné ces conseils. Et j'espère que les Maple Leafs vont rafler la Coupe, cette année!

— Moi aussi! J'attends ce jour depuis longtemps, a-t-il répondu avec un grand sourire.

Avant de partir, j'ai inscrit ses conseils au dos de ma feuille de papier. J'avais du mal à croire que Tim Horton, en personne, m'avait donné des conseils!

J'ai couru à la voiture pour tout raconter à mon père.

— Maintenant que tu as reçu des conseils de l'un des meilleurs, je parie que tu vas vraiment t'améliorer si tu les suis, m'a-t-il dit.

Je lui ai lu les conseils que j'avais reçus de Tim Horton :

— *Premièrement, sors la rondelle aussi vite que possible de ton territoire;*

Deuxièmement, ne regarde pas la rondelle, mais le joueur devant toi;

Troisièmement, quand tu lances de la pointe, essaie de faire glisser la rondelle au ras de la glace, en visant toujours le filet afin de marquer un point ou de permettre une déviation;

Quatrièmement, exerce-toi à patiner à reculons.

Le lendemain, à mon entraînement, j'ai parlé aux gars de ma rencontre avec Tim Horton, mais ils ne m'ont pas cru. Peu importe. Je me suis contenté de travailler fort et de parfaire mon jeu. J'ai d'abord travaillé mon patinage à reculons. Et lorsque j'avais l'occasion d'avoir la rondelle, je m'efforçais de la frapper bien bas, presque le long de la glace. Quand je me trouvais dans ma zone, j'accaparais rapidement la rondelle pour la sortir ou la passer à un coéquipier afin qu'il fasse une échappée.

Pendant les matchs suivants, je n'étais plus celui qui sillonnait la patinoire pour bousculer les autres. Jouer à la façon de Tim Horton était beaucoup plus intéressant. Je recevais aussi moins de punitions. Du coup, Jean-Pierre, mon entraîneur, me faisait jouer davantage.
Deux matchs plus tard, j'avais déjà marqué mon premier but de la saison!

Tous les samedis soirs, à la maison, nous regardions, *La soirée du hockey* à la télévision.
J'observais attentivement le jeu de Tim Horton. Cette année-là, Toronto a terminé la saison
en deuxième place, et Tim Horton a dominé les défenseurs quant au nombre de buts inscrits,
soit 10 en tout! Tim Horton affichait 38 points. Seuls deux autres défenseurs en avait accumulés
plus que lui au cours de la saison régulière. J'avais hâte que ce soit les séries éliminatoires.
Je savais que Tim Horton dirigerait l'offensive des Leafs à partir de la ligne bleue.

Après avoir battu les Rangers de New York en demi-finale, les Leafs étaient prêts à affronter Chicago, les champions en titre, dans la course à la Coupe Stanley. Comme les Leafs n'avaient pas remporté la Coupe depuis 11 ans, c'était tout un défi à relever. Mon père avait réussi à obtenir des billets pour le cinquième match, disputé au Maple Leaf Gardens. J'espérais vraiment que les éliminatoires se poursuivraient jusque-là!

À la même époque, mon équipe était prête à déloger les Cuirassés de leur première place dans notre ligue. Grâce aux conseils de Tim Horton, je m'étais amélioré. J'avais donc vraiment hâte de jouer contre eux.

Le match a été chaud. À cinq minutes de la fin de la troisième période, le pointage était toujours de 3 à 3. J'ai mis l'attaquant des Cuirassés en échec (de façon réglementaire!) pour ensuite ramasser la rondelle libre à l'arrière de notre filet. Je l'ai sortie de notre zone défensive et je l'ai passée à notre ailier, tout en me précipitant au milieu de la patinoire. De là, j'ai reçu son retour de lancer en plein sur le bâton. J'ai ensuite filé au-delà de la ligne bleue, fait une feinte devant la défense de l'adversaire avant de frapper bien fort, mais aussi bien bas, pour expédier la rondelle dans le fond du filet. Et compte! Mon coup a déjoué le gardien de but! Mes coéquipiers se sont tous rués sur moi. Nous avons tenu le coup jusqu'à la fin du match et arraché la victoire 4 à 3. Nous étions les champions de la ligue!

Lorsque j'ai quitté la patinoire, mon entraîneur m'a fait un grand sourire.

— Beau coup, Guillaume! Ça, c'est du jeu! s'est-il exclamé.

Les Leafs ont gagné les deux premiers matchs des finales, mais ils ont ensuite encaissé deux revers contre Chicago. Cela voulait dire qu'ils reviendraient à Toronto. Et moi, j'allais assister à mon premier vrai match de hockey au Maple Leaf Gardens!

Le soir venu, les Leafs ont marqué un but au cours des 20 premières secondes du match! À la fin de la première période, ils menaient 2 à 1. Chicago a repris l'avantage en début de deuxième période, enfilant deux buts… mais Horton s'est alors activé. Il a intercepté la rondelle qui se dirigeait droit vers le filet. Billy Harris l'a fait dévier, déjouant du coup le gardien Glenn Hall.

Un instant plus tard, Tim Horton a reçu une passe de Dave Keon et a frappé la rondelle de toutes ses forces. Elle a manqué le filet de peu. Tim Horton n'a pas abandonné pour autant : poursuivant l'attaque, il a repassé la rondelle à Keon, qui a réussi à marquer un autre but en la projetant par-dessus l'épaule de Glenn Hall!

Les Leafs ont fini par l'emporter 8 à 4, et Tim Horton a ajouté trois aides à son dossier. Il ne leur manquait maintenant qu'une victoire pour remporter la Coupe Stanley!

La fin de semaine suivante, nous avons eu un tournoi de quatre matchs et avons remporté quelques victoires. Nous n'avons pas été les champions de notre division, mais j'ai joué suffisamment bien pour qu'on me nomme « joueur de défense étoile » du tournoi.

Après le dernier match, mon entraîneur est venu me voir.

— Je suis très fier de toi, Guillaume. Tu as vraiment fait des progrès.

— Merci, lui ai-je répondu en souriant. Et je suis content que vous me donniez plus de temps sur la glace. Vous savez, les conseils de Tim Horton m'ont beaucoup aidé. Il m'a fait comprendre l'importance de jouer de la bonne manière.

Le dimanche soir, nous sommes rentrés à la maison à temps pour voir le match des Leafs. Au début de la troisième période, aucune équipe n'avait encore réussi à compter. Lorsque Bobby Hull a enfin marqué le premier but de la soirée, les partisans des Black Hawks l'ont acclamé à tout rompre. Mais à peine quelques minutes plus tard, les Leafs parvenaient à égaliser le pointage.

Alors qu'il restait un peu plus de six minutes de jeu et que les Leafs misaient sur une attaque à cinq, Tim Horton a porté la rondelle en zone adverse. Il l'a lancée vers son capitaine, George Armstrong, qui la lui a renvoyée. Comme l'ailier Dick Duff avait le champ libre, Horton lui a fait une passe. Duff s'est vite retourné et a fait un tir que le gardien des Black Hawks n'a pas vu venir, donnant ainsi une avance de 2 à 1 à Toronto! Grâce à cette aide, Tim Horton a obtenu son 16e point de la série éliminatoire, ce qui lui a permis d'établir un record parmi les joueurs de défense.

Les Black Hawks ont eu beau s'échiner pour égaliser le pointage, les Leafs ont réussi à empêcher la rondelle de se retrouver dans leur filet. Finalement, on a entendu le signal annonçant la fin de la partie. Les Leafs venaient de gagner la Coupe Stanley de 1962!

Deux jours plus tard, nous sommes allés en famille au centre-ville pour assister au défilé de la Coupe Stanley. Des milliers de personnes s'étaient amassées le long des rues, ovationnant les joueurs. Beaucoup de joueurs acceptaient même de signer des autographes.

J'ai repéré la voiture dans laquelle se trouvait Tim Horton. J'ai couru dans sa direction, brandissant une carte de joueur avec sa photo, que j'avais eue à l'achat d'une bouteille de sirop Beehive. Après lui avoir serré la main, je lui ai demandé son autographe. Pendant qu'il s'exécutait, je lui ai rappelé notre entretien.

— Mes conseils t'ont-ils servi?

— Oh oui, énormément! Je vous remercie beaucoup. Et je suis super content de vous voir remporter la Coupe!

— Merci. Il a fallu travailler dur, mais ça valait le coup, dit-il en souriant, pendant que sa voiture repartait.

Plus tard, les joueurs des Leafs se sont rassemblés sur les marches de l'hôtel de ville et tous les amateurs de hockey ont pu admirer la Coupe Stanley.

Ce sont des instants que je n'oublierai jamais. Et j'ai eu beaucoup de mal à patienter jusqu'à la saison de hockey suivante!

QUELQUES MOTS SUR TIM HORTON

Miles Gilbert « Tim » Horton est né à Cochrane, en Ontario, le 12 janvier 1930. Il a commencé à jouer au hockey à cinq ans. À 15 ans, il jouait comme défenseur avec les Redmen de Copper Cliff, une équipe de Sudbury, en Ontario. La qualité de son jeu a alors attiré l'attention des recruteurs des Maple Leafs de Toronto, ce qui lui a permis de recevoir une bourse pour étudier au St. Michael's College. Tim Horton y a reçu à deux reprises le titre de joueur le plus utile à son équipe, si bien que les Leafs l'ont intégré à leur équipe de réserve en 1947. Il a joué pendant trois ans pour Pittsburgh, une équipe de la Ligue américaine, ce qui lui a donné l'occasion de perfectionner son jeu avant de se joindre aux Leafs pour de bon à la saison 1952-1953. En 1955, il a eu une jambe et la mâchoire cassées lors d'une mise en échec; bien des gens ont alors cru que sa carrière était terminée, mais il a persévéré. Horton a été le joueur de défense clé des Leafs durant 18 saisons complètes et il a gagné quatre fois la Coupe Stanley dans l'équipe de Toronto (1962, 1963, 1964 et 1967). Il a été choisi à trois reprises pour faire partie de la première équipe d'étoiles de la LNH (1964, 1968 et 1969), en plus d'avoir fait partie à trois reprises de la deuxième équipe d'étoiles (1954, 1963 et 1967). En tout, il a pris part à 1 185 matchs dans les rangs des Leafs (réalisant en outre un record, dans cette équipe, de 486 parties consécutives entre le 11 février 1961 et le 4 février 1968), où il a accumulé 109 buts et 458 points. Horton a été échangé aux Rangers de New York en 1970. Il a aussi porté les couleurs des Penguins de Pittsburgh et des Sabres de Buffalo, ce qui lui a permis de prendre part à 1 446 matchs en tout. Tout en poursuivant sa carrière de hockeyeur, Tim Horton a tenté diverses entreprises commerciales, mais c'est sa formule de comptoir de beignets et de café qui a obtenu le plus de succès. De nos jours, les comptoirs et restaurants Tim Hortons figurent parmi les franchises les plus connues dans tout le Canada. En 1998, Horton a reçu le titre de 43e joueur de hockey parmi les meilleurs de tous les temps décerné par le *Hockey News*. Il occupe aussi le 59e rang sur la liste des plus grandes personnalités canadiennes, selon la compilation faite par l'émission *The Greatest Canadian* de Radio-Canada, en 2004. On l'a intronisé au Temple de la renommée du hockey en 1977, et son chandail numéro 7 a été honoré par les Maple Leafs en 1995. Il est décédé en 1974, des suites d'un accident de la route.